ひとり暮らしの小学生

価値語篇

Koichiro Matsushita
松下幸市朗

中村堂

価値語について

菊池　省三

「菊池実践」と言われる私の実践を支える柱は、左の4つです。

❶価値語
❷成長ノート
❸ほめ言葉のシャワー
❹話し合い学習

この4つを構造的に考えたとき、いちばん核となるのは価値語です。言葉を大切にしながら、ほめ言葉のシャワー、成長ノート、話し合い学習に取り組んでいこうというのが、私の主張の核心です。

「言葉が心を育てる、人を育てる」

このことは、間違いないと思います。子どもたちに価値ある言葉をどんどん植林していく責任が、私たち大人にはあります。

そして、その言葉の一つ一つが、やがては子どもたちを大きく成長させ、新しい言葉を生み、輝かしい未来につながっていくであろうことを信じています。

教室の子どもたちを「どうにかして変えたい」という思いをもち、ある程度意識して父性的な「こうあるべきじゃないか」「世の中はこうなんだから、こういうふうな生き方の方が美しいんじゃないか」ということを子どもたちに言ってきました。それに応えてくれた子どもたちの中に価値語が少しずつ入っていき、その言葉を自分のものにしていったのです。

1年間の中で、子どもたち自身も価値ある言葉を自分たちでつくり、あるいは見つけて自分たちで大事にしていくのです。「価値語が生まれ育つ教室」を実感しました。

私は、今から10数年ほど前に価値語の実践を始めました。一公立小学校から始まった価値語の取り組みですが、様々な書籍やセミナーの講演の中で紹介させていただくことで、全国に広まっていきました。

２０１４年に発行した「価値語日めくりカレンダー」（中村堂）を、訪問した学校の玄関や、校長室の前、そして教室で見つけると、思わず写真を撮ってしまいます。

京都芸術大学副学長の本間正人先生と対談させていただいた折、本間先生から「価値語をハンドブックにまとめるとよいのではないか」とのご提案をいただき、菊池道場広島支部の協力を得て、２０１６年に「価値語１００ハンドブック」（中村堂）として発行いたしました。

さらに、全国から価値語を募集して「価値語コンクール」を開催し、集まった作品の中から「価値語１００ハンドブック❷」（中村堂）として一冊にまとめ発行したのは、２０１８年でした。

途中、２０１７年には、「価値語１００ハンドブック」に掲載している価値語を題材としたマンガ「ひとり暮らしの小学生／価値語篇」を菊池道場の機関誌である「白熱する教室」第８号から、松下幸市朗先生に執筆、連載していただきました。そのマンガがここに、３年半を経て完結し単行本としてまとまりました。本当にうれしいことです。ありがとうございます。

こうした出版物の力や、ＳＮＳでの全国の道場メンバーによる実践の発信などにより、価値語が今後もさらに多くの学校、教室に広がり、言葉を獲得した豊かな心をもった子どもたちが育っていくことを願ってやみません。

もくじ

ひとり暮らしの小学生／価値語篇

価値語始まるよ！

第1話　鈴音リン、ひとりで食堂を経営する

時は1980年代
神奈川の江の島には…
ひとりの小学生がすんでおりました

自己紹介の達人になろう

おそらく、人生の中でいちばんたくさんしなければならないスピーチが自己紹介です。できれば、分かりやすく、そのままの自分のよさを相手に知ってもらいたいものです。

鈴音 リン
みなさん初めまして鈴音リン小学４年生です
江の島でひとり暮らしをしています
両親は他界したのでひとりで食堂をやって生活しています
ジュ〜ッ
毎日大変だけど精一杯頑張っています
どうぞよろしくお願いします

秋のりす力（前準備力）

りすが冬に備えてどんぐりなどを準備するように、前もって準備する力のことです。何事も前準備をすることで、能率を上げ、ゆとりをもって取り組むことができます。

先生 おはようございます
おはよう 今日の1時間目はプールだけど水着はちゃんともってきたか？
ハイもう着てきちゃいました
準備がいいな！
なんだよそれくらい！
えっ!?
俺なんか水着できたんだぞ！
えっ!?

不格好の美しさ

見た目や体裁など、人からどう思われようと気にすることなく、目的に向かって一生懸命努力をする美しさのことです。外見に惑わされず、物事の真の価値を見抜ける人でありたいものです。

先生、「不格好の美しさ」ってどういうことですか?
不格好の美しさ
それは見た目や体裁が悪くても気にしないで頑張る人は素晴らしいってことさ!
なんだか難しくて私には無理そう…
大丈夫!リンは十分「不格好の美しさ」を体現してると思うぞ!
やっぱりこの服不格好ですよね…
しまった!

当たり前のことが当たり前にできる人に

当たり前のことが当たり前にできる人が、いちばん立派なのです。
当たり前のことがきちんとできて、次の成長に向かっていきます。
「当たり前」を大切にして、丁寧に生きていきましょう。

先生、宿題やってきたよ！
またリンのを写したんじゃないだろうな？
…
違うよ！全部自分でやったんだよ！
確かに今回は自分で頑張ったみたいだな
へへ～ん
全部間違えてるもんな…
え！

苦労は未来への貯金

努力を重ねることは、未来への貯金となります。努力できること自体が素晴らしい力です。地道な努力は、あとで必ず大きな力となって返ってきます。努力を惜しまないようにしたいものです。

今日もこれから仕事なんだろ？大変だな…
大丈夫です！未来への貯金だもん！
そうだな未来のために頑張らないとな！
けど…
どうかしたのか？
現在の貯金がたまらなくて

笑顔は鏡

笑顔は鏡のように反射し、輝くような力を引き出します。笑顔の人に出会うと、自然と笑顔になります。笑顔を鏡のように人に映して、明るい社会をつくっていきたいものです。

なんだこの
まずい料理は…
ちょっと!!
はい
…
ニコッ
この料理
おいしいね
ありがとう
ございます!

価値ある無理をせよ

頑張る気持ち、前向きに取り組む姿勢は、人を成長させます。最初からできないと決めるのではなく、無理だと思えることをやり遂げることで自分の器を広げましょう。成長に終わりはありません。

今日も疲れたな～
本日は閉店しました
けどこれから宿題しなくっちゃ！
チュン
チュン
Z
Z
Z

第2話　笑顔の一日

リンちゃんは
神奈川県の江の島で
ひとりで食堂を営みながら
生活しています

ニコニコ笑顔力

いつも笑顔を心がけましょう。笑顔はどんな言葉にも勝る、最高のコミュニケーションツールです。表情の変化は内面の変化につながり、すすんで友達と関わろうとする行動にもつながります。

おはようございます
はよ～
おはよう
亮はまだ半分寝ているようだな…
まだねみ～んだもん
それに引き換えリンは朝から笑顔でこっちまで元気をもらえるよ！
エヘヘ
学校に来たら給食が食べられますからね
昨日から何も食べてなくて
…

遊ぶときは　無邪気になれ

遊ぶときは無心に無邪気になりましょう。無邪気は、「あどけなくて素直なこと」という意味です。ルールや規律を一旦どこかに置いて、思い切り遊ぶことで次への活力が湧いてきます。

今日の体育は
おにごっこをするぞ
リン
すごく楽し
そうだな
はい
とても
楽しいです
放課後は
お仕事あるから
友達と遊ぶの
久しぶりなんです

あっ
ドン
ポン
ポン
わりい
ザッ
大丈夫
3秒以内に拾ったから
いや大丈夫じゃねえと思うぞ…

的確な判断力

予期せぬ出来事に対して、的確に判断してテキパキと行動する姿を見かけることがあります。判断力と行動力は、宝物です。瞬間に判断し、行動する力を身につけましょう。

ありがとうの輪

「ありがとう」。言う人も言われる人もどちらも相手を思う心が大切です。「ありがとう」と言ってもらうと嬉しいものです。その言葉一つで、人と人はつながることができるような気がします。

早く掃除終わらせてお店開けないと…
俺のせいでパン食べれなかったんだよな…
掃除手伝ってやるよ
え？
ありがとう！
別にいいよ

うれしさのトライアングル

うれしいこと、素敵だなと感じることは声に出して誰かに伝えてみましょう。いいなと思う行動はどんどん口に出してみましょう。

それだけで、温かい雰囲気が生まれてきます。

亮
リンから聞いたぞ!
掃除を手伝ったんだってな
偉いじゃないか!
別に大したことしてねえよ
素っ気ないな
せっかくほめてやったのに…
エへへ

待たせるより待てる人に

「待たせる人」と「待てる人」では、人としての器が違います。人を待たせてはいけないと思い行動できるのは、待つことの大変さを理解しているからこそです。相手のことを考えて行動しましょう。

お客さんを待たせないように急いで帰らなきゃ
ホッ
よかった誰も待ってる人いないみたい…
鈴音食堂
だれも来ないな…

最高の受け止め方ができる人に

どんな現実も前向きに受け止め、自分ができる最もよいと考えられる方法で対処していきましょう。前向きに受け止めて行動することは、私たちの未来をも変えていきます。

暇だし少し勉強でもしようかな…
本日は閉店しました
今日は勉強進んだな…
お客さんひとりも来なかったから…

さ〜て今日も一日頑張るぞ!
チュン
チュン

鈴音《すずね》 リン
小学4年生

両親を2年前に亡くし、神奈川県の江の島でひとりで食堂を営み生活している小学生。
好物：チョコレート、甘い物

伊藤《いとう》 博司《ひろし》
リンの担任の先生

根が優しく正義感が強いが小心者なのが難点。子どもの頃にいじめられた経験を今も引きずっている。

関口《せきぐち》 亮《りょう》
リンの同級生

勉強嫌いで減らず口が達者なイタズラ好き。
根はやさしく純粋な一面もあり母親が大好き。
クラスのガキ大将

金《かね》見《み》美《み》恵《え》子《こ》
リンの同級生

社長令嬢のお金持ちのお嬢様。
自分より成績のよいリンにライバル心をもっている。

第3話　努力とやさしさの毎日

朝ご飯何にしようかな…
お金に余裕ないから質素にしないとな…
ガチャッ
決めた!
バタン
今日はお水だけにして節約しよう
ゴクゴク

1・01と0・99の努力の差

1・01と0・99は、1を基準にすると、0・01ずつの差しかありません。しかし長い年月には大きな差となります。少しずつの努力の積み重ねが、後に大きな実を結ぶことになるのです。

教室に入る時は仮面をかぶる

教室は学ぶところです。学習規律を守り、クラスの目標や約束、先生の言うことに従いながら生活をします。公では、その場にふさわしい自分に切り替え、責任ある行動をとれるようになりましょう。

さすがにお水だけだからお腹減ったな…
4-3
けどこれから授業だもん気持ち切り替えなきゃ
よし！朝食を食べたと思って集中しよう
けどお腹の音はごまかせないな…

言葉の貯金力

語彙力は思考力のバロメーターです。「言葉の貯金」をたくさんもっている人は、物事を深く論理的に考えることができます。豊かな言葉をもち、豊かな表現ができる人になりたいものです。

よい言葉を蓄えてよい言葉を使えれば豊かな表現が身につくんだ
そのためにも言葉の貯金が大事なんだ！
言葉の貯金ってどうやってするんですか？
本を読んだり辞書で調べて好きな言葉を書き留めるといいぞ
あの…
お金の貯金はどうしたらできるんですか？
…

食べることは生きること

子どもたちがよく食べる学級は、安定感があります。勢いがあり、物事に前向きな子どもは、たいてい、もりもりとよく食べる子どもです。食べることは、生きていくことの基本です。

ムス〜〜〜
あれ？
ミエちゃん給食食べないの？
だって全部美味しくないもの
そうかな…？
それに一食くらい食べなくても死なないわよ
それは確かにそうだね
一日一食で十分よね！
え…
リンって一日一食なのかしら…？

空気に負けるな

ついつい人は、周りの空気に流されがちです。易きに流されず、大切なことを見失わない強い心を育む価値語です。周りの空気に流されずに、時には向かい風に立ち向かっていきましょう。

いい歳した俺は未だにプロのミュージシャンになりたくて毎日路上で弾き語りをしている
キチンとした仕事をしてる人を見ると…

情けなく思う時もある…

けど俺は負けない！

金はないが夢がある！

金はないが…

ぎゅるるるる〜

長幼の心

学校の重要な機能は「社会化」。自分と異なる他者と人間関係を結ぶトレーニングをする場なのですが、今の時代、「世代間コミュニケーション」を意識的に増やしていく必要があるでしょう。

ガラッ
今日の調子はどうだい？
あっ
いらっしゃいませ！
今日はまだお客さん一人も来てなくて…
…
たまには値段の高いシラス丼でも注文してやりたいとこだけど…
どうかしましたか？
よしっ
何でもないよ今日はシラス丼ね！

やさしさのリレー

友達のやさしさを肌で感じたその子どもは、周りの人に今まで以上にやさしくなります。やさしくされた子はまた他の子にもやさしさを、まるで「リレー」していくかのようになります。

リンちゃん
お会計お願い
…
…
今日はお金は
いりませんよ
えっ!?
いつも来て
くれるので
サービスです

第4話　ゆずれない道がある

今日は観光客少ないな…
海産物
リンちゃんが住んでいる江の島は神奈川県にある有名な観光名所です

ビル谷からでも空を見上げよう

ビルが重なる都会でも、見ようと思えばその谷間から空を見上げることはできます。社会生活で困難な場面に出会っても、視点を変えてそれを乗り切る知恵と工夫をしていきたいものです。

暇だな…
ハァ
うちの店は裏通りだからなおさらか…
…
新メニューでも考えようかな

WIN－WIN－WINの関係

近江商人の心得として知られる、売り手良し、買い手良し、世間良しの「三方良し」という言葉とつながる考えです。自分と相手にとっての良さは、結果として組織全体の成長につながっていきます。

美味しい新メニューで売上は伸びるし
お客さんにも
おいし～
喜んでもらえるし…
それが話題で観光客が増えて良いことずくめ…
ザワ
ザワ
けど新メニューが全く思いつかないよ…

一匹目のペンギンになれ

いちばん初めに挑戦できる人になりましょう。いちばん初めにやってみるのは、とても勇気がいることです。しかしそうすることで、自分に得られるものが大きいのも確かです。

やっぱり
ほかにはないような
料理じゃないとな…
私の好きな
食べ物は
チョコレート
江の島の名物は
生しらす丼
生チョコ
しらす丼…
それは
さすがにね…
…
けどこんな料理
ほかにはないよね…

他己中

「自己中」の反対の意味の価値語です。本来、人間は自己中心的なものですが、自分と同じように相手を大切にし、反対の立場の人を思いやれる、相手を中心とした視点を大切にしていきましょう。

仕事も終わったし
どこかで夕食でも
食べて帰るか…
江の島が
近いけど…
リンちゃんの
お店は味が
いまいちだし…
いつも客来て
ないからな…
リンちゃんの
お店で食べるか

積極百歩

運動会直前に足をけがした児童が、見学をしているにも関わらず、クラスの動きに合わせて旗を動かしていました。積極的に力強く、まるで百歩も歩みを進めているような姿から生まれた価値語です。

新メニューにチョコレート味の生しらす丼なんて微妙ですよね？
確かにそれは微妙かもね…
けど新メニューができたらいつでも試食するから言ってね
ほんとですか！
実はもう作ってみたんですよ！
なっ!?

ラベルを決めて端的に話せ

結論を先に言って、言いたいことをより分かりやすく相手に伝えましょう。何も考えずに話すと、自分の思いばかりが先行してしまい、言いたいことがどこにあるのか分かりません。

なるほど…
ここは
リンちゃんのためにも
はっきり言わないと
新メニューの
お味はどうですか?
不味い
甘すぎる

キコー
甘すぎません…
え!?
甘いに過ぎるは
ありません!!

ゆずれない道がある

信念を大切にして生きていきましょう。一見控えめに見えても、さりげなく自分の「信念」をしっかりともって「ゆずれない道」を邁進して行く人がいます。静かな「信念」を大切にしたいものです。

ということで
完成した
新メニューが…
こちら!
バサッ
生クリーム
しらす丼です!
生クリームは
北海道の大草原で育った牛の
新鮮な生乳を使用し
シラスは江の島で
朝獲れたばかりの
新鮮なものを使用します
陸と海のおいしさがつまった
甘さと塩味の
コラボレーションが絶妙です!
ぜひ一度
江の島まで食べに
来てください!
海産物

おいし〜

第5話　そのままに生きる

さて…
仕込みも終わったし…
お客様が来るまでのすきま時間を使って学校の宿題でもしようかな
よしできた!
算数の宿題
シーン
すきま時間はまだ続きそうだな…

黄金のすきま時間

ふとした時にすきま時間はできるものです。そのすきま時間をのんびりと過ごすこともよいでしょう。しかし、目的意識をもって使うことで、充実した時間を過ごすことができます。

ホームの安心感

お互いに認め合う雰囲気や、教師との関係が深まってくると、子どもたちは自分のよさをどんどん発揮し始めます。自分の居場所をしっかりともち、それをベースに自分の世界を広げましょう。

連休明けで久しぶりに人と話すのなんだか緊張するな…
4-3
ポーン
ガラッ
へっ?
ヨッシャー ひっかかったー
ちょっと亮君何するのよ!!
ボケっとしてる方が悪いんだよ

D語よりY語で行こう

D語は、「でも、だって、どうせ」とDで始まる後ろ向きな言葉。
Y語は、「よーし、やるぞ、喜んで」とYで始まる前向きな言葉。
前向きな言葉を使い、前へ前へと行きましょう。

よし今日も一日頑張るぞ
でも明日も学校あるんだぜ
やる気が湧いてくるよね
どうせ叱られるだけだし湧いてこねえよ
叱ってくれる人がいるなんて喜ぶべきことよ！
だってよ…
だってなによ!!
なんでもありません

みんなで砂場に大きなお城作ってみない？
嫌よ体操着汚れるもの
お、面白そうじゃん
作ろうぜ
でしょ！
砂遊びなんてくだらないわ
4-3 金見
オーアハハハハ
わーアハハハハ
4-3 金見

いい意味でバカになれ

時には恥ずかしさを捨てて自分を表現することも必要です。その場に応じて思い切る勇気が大切です。人前で堂々と自分を表現できる態度と心は、子どもたちの宝物になっていきます。

頭の良さは耳の良さ

聴くことは、何よりも大切なことです。しっかりと聴いて考えられる人になりましょう。聴くことが学習の一番の基本です。意識して聴くことで、自分の聴く力を育てていきましょう。

650円
NOTE
BOOK
180円
どうしよう…ノート買うお金ないな…
それじゃテストを返すぞ
鈴音リン
頑張ったな満点だぞ！
本当だ！
100
ノート買うお金がなくて先生の話を一生懸命聴いて丸暗記したおかげかな…
エヘヘ
なっ！

120%の20%を大切に

プラスアルファの力を発揮しましょう。他人と同じ100%の力ではなく、20%の努力が大切です。それを続けることで、物事を多角的にとらえられる、多様な視点をもった人に育っていきます。

今日は図書館で借りた本を参考に料理を作りたいと思います
お料理
美味
プロの技
できました
さらに隠し味としてお砂糖を20%加えてもっとおいしくしようと思います！
サラサラ
さとう
ということでよいですか？
120%の20%を大切に
いやそうじゃなくて…

そのままの自分がいい

そのままの自分が一番よいのです。そのままの自分を磨いていきましょう。失敗したら叱られる。間違えたら笑われる。それが自分なのだから、失敗して、間違えて成長していくことが大切です。

すみません
給食費
実は給食費少し足りなくて…
アハハハ
リンだけじゃんちゃんと払ってないの
確かにリンだけだな…
自分で稼いだお金で払っているのは
え…

第6話　範を示す

お腹減ったな〜
ぐうぅぅ
けどこんな時こそ明るく元気にしなきゃ…
おはよう亮君！
なんだよ！
オレ朝食抜きだから機嫌わりいんだよ！
私も昨日の給食以降何も食べてないよ
2食抜きかよ!?

自己調整力

感情を公の場でありのままに出すことは、周りの人に嫌な思いをさせることがあります。自己調整力を身につけて、落ち着きがあり、穏やかな人へと成長していきたいものです。

100m越しのあいさつ力

「挨拶」は、人と人との関わり合いを豊かにする上でとても大切なことです。例え100mほどの距離が離れていても、相手を思い、丁寧にあいさつをする姿は尊いものです。

最近ゲームし過ぎて視力落ちてきたんだよな
私目だけはいいんだ!
あ先生!
へっ?
いねえじゃん
おはようございます
500m位先を歩いていたよ
どんだけ目がいいんだよ! 先生だって気づいてねえよ!

今日の掃除
リンがリーダーで
進めてくれるか？
えっ
私が!?
私にリーダー
なんて
できるかな…
存在感ないし…
アハハハハ
どうしよう
すごい存在感だ

存在感は自分で作るもの

「私、存在感が薄いから」という子のつぶやきに対して、「存在感は自分で作るものよ」と返した子がいました。二人とも控えめなタイプの子でしたが、大きな違いは、自分に対する信頼感でした。

心に感嘆符を

社会生活の中で、人は、お互いに関係し合いながら生きていきます。誰も一人では生きられません。「心に感嘆符を」もっていれば、人の優しさ・思いやりに気づくことでしょう。

キーンコーン
カーンコーン
やった給食だ!!
じわ〜
リンどうしたんだ!?
美味しすぎて…
そりゃ24時間ぶりの食事だからな

オリオン座の三ツ星力

オリオン座は、夜空にひときわ美しく輝く星座です。道しるべとしても使われます。「周りを明るく照らし、人を導くことができるリーダーの自覚と責任」という意味の価値語です。

それじゃ
みんなで分担して
大掃除をしましょう
えー
なんで私が雑巾
がけなのよ
せっかくのきれいな
お洋服が汚れ
ちゃうじゃない
なら私が雑巾がけ
代わるよ
え
いいの?
私の服なら汚れても
大丈夫だしね
あの…
ごめんなさい…

範を示す

「背中で教える」のことわざ通り、人は、口で言われるよりも、その人の行動から、大きな影響を受けるものです。いろいろと口で言うよりも、率先して「範を示す」方が、人の心に染み入るものです。

夏祭
キーン
コーン
カーン
コーン

責任感のバケツ

責任をもってみんなで当番ができたら、バケツの中の星を一つ増やそうと考えた取り組みから生まれた価値語です。やるべきことをきちんとやっていくことが、自分の自信につながっていきます。

第7話　今日は運動会

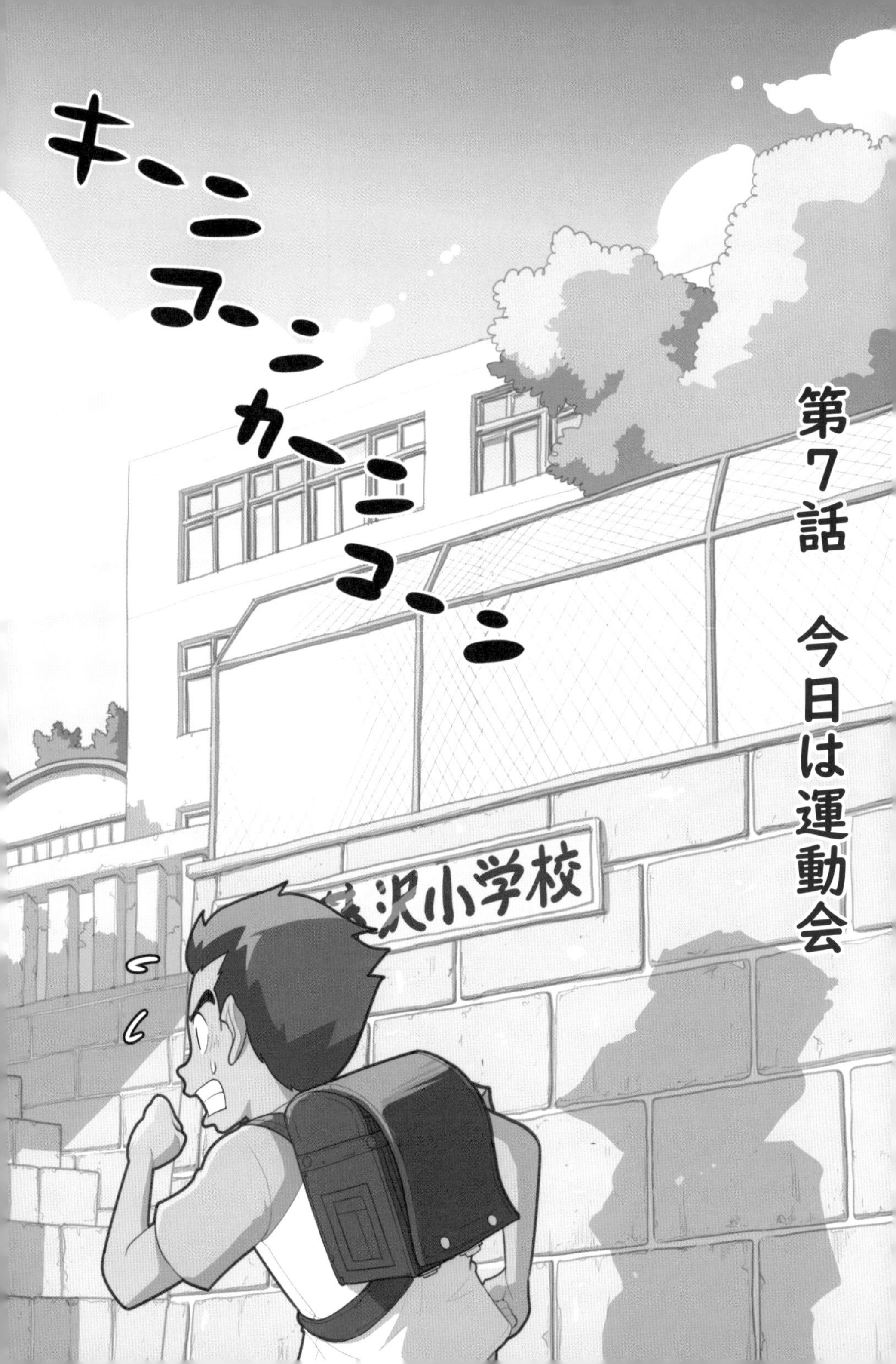
キーンコーンカーンコーン
沢小学校

最近遅刻者が多いぞ
みんな気をつけるように
それと来月の運動会だが…
亮 興味のあることとないことの姿勢が違いすぎるぞ！
そもそもお前のこと言ってるんだぞ！
アハハハハ
え？

人に正対せよ

正対するとは、話し手と聞き手がきちんと向かい合った姿勢のことです。そして、心も相手に向かっていくのです。心と身体を向け、全力で聴くというコミュニケーションの力をつけましょう。

みんなで毎朝運動会の練習しないか？
え〜〜〜〜!?
嫌よ私運動苦手だし…
大丈夫だって！みんなでレベルアップしようぜ！
亮君…
練習初日
あれ亮君は？
寝坊したみたいよ

束になって伸びる

「クラス全体で成長しよう」という意識が確立すると、集団としての成長も、個人の成長も大きく変わってきます。「束ねる」というイメージを教師と子どもとで共有することが大切です。

汗にまみれろ　泥にまみれろ

ともすれば、人は外面だけの美しさに心をひかれがちです。しかし、外面には内面の美しさも表れます。内面の美しさを磨くことで、外面だけに左右されない、心強き人を育んでいきます。

田んぼに リレーのバトン 落ちちゃったぞ
お前取りに 行けよ
やだよ 汚れるし…
私が 取って 来るよ
はい
ああ
…
ミエなに やってんだ?
次は私が 行こうと 思って
もう落とさ ねえよ

運動会当日
みんな この1か月よく 練習頑張ったな！
結果は どうあれ…
…
よ～し 目標は俺たち 青組の優勝だ！
オーーッ！

群れではなく集団へ

学級の中では、子どもたち一人ひとりが安心感を得ていなければ個としての自分で存在することはできません。自分で考え行動する子どもの様子を大きく価値付けていくことが大切です。

価値の拡大

社会生活は、小集団・中集団・大集団とさまざまな規模で成り立っています。小集団で生まれた価値を、場を拡大させながら、その価値をも拡大していくことは、視野を大きく広げていきます。

青組のクラスやる気満々だな…
負けてらんねえな…
俺たち白組こそ優勝だー!!
赤組やるぞ～!
伊藤先生のクラスの熱気がほかのクラスにも広がったようですね
ええ子どもたちは純粋ですからね
ホント単純ですよね

ズザッ
キャッ!!
あ～あ
逆転
された～
ミエちゃん
大丈夫？
あんなに
練習したのに
私のせいで…
トボ
トボ
ジワ
けが？
保健室行く？
大丈夫だって
それくらい
俺がすぐ逆転
してくるから
え…

美しい涙

頑張ったけれど、それができなかった。そのことに対して涙を流すことがあります。悔しいとか悲しいとかという一つの感情ではなく、それまでの子どものストーリーを含んだ涙です。

よっしゃー
4-3 関口
さすが亮君くん！
うん…
4-3 金見
優勝は青組
ヤッター
よしギリギリ間に合ったぜ！
キーンコーンカーンコーン
今日の亮くんもさすがね！
さすがっていうか…

子どもとしての責任

自分本位な行動を取る子どもの姿を見ることは少なくありませんが、子どもとして、基本的なことをおろそかにせず、やるべきことに向かい、責任ある日々を送ることはとても大切です。

第8話　全力疾走の日々

かけそば 380円
カレーライス 690円
野菜炒め定食 700円
コーヒー 320円
お味噌汁にお砂糖入れてみたんですがいかがですか?
マズイ!

う〜ん
お砂糖入れた方がおいしいと思うんだけど…
やっぱりお味噌汁は甘くない方がいいのかな…
あ〜〜
考えすぎて脳が疲れてきちゃった…
こんな時こそ甘いものだよね！
ゴクゴク

揺れながらも安定

法隆寺の五重塔は、揺れる構造になっているから倒れないのだと言われています。集団が緩むのは「ピンチ」ですが、それを自覚することで成長していきます。「揺れながらも安定」していくのです。

18時29分
ガラ
カレーライスねー
ハイ
いらっしゃいませー
ジャー
21時52分
今日の宿題難しいな…
6時24分
放課後すぐにお店ができるように準備しとかなきゃ
キュッ キュッ
ねむ〜
8時10分
ハァ
ハァ
今日も学校頑張ろう！

全力疾走の日々を送れ

マニュアルでは対応できない不測の事態はたくさんあります。主体的に判断し、周りの人の助けも借りながら全力で物事にあたることで、大きな山も乗り越える第一歩となるのではないでしょうか。

一人の百歩よりみんなの一歩

一人で先を歩むことは簡単なことかもしれません。しかし、集団の成長を考えたときには、「一人も見捨てない」の気概をもち、全員の一歩の方を大切にしていきたいものです。

今日の宿題忘れた人
トイレ掃除らしいぞ
そうなんだ
けど私は
キチンとやって
きたから大丈夫
お前よ…
自分さえよければっ
て考えなおした
方がいいぞ
えっ⁉
忘れた人を
見捨てないで
宿題写させてやれよ
けど…
それってその人の
ためになるのかな…

一人も見捨てない

いじめは、いじめる子と無関心な周りの子どもたちによって起こります。教室の大半を占める、無関心な子どもたちの責任も大きいのです。子どもたちの意識が変われば、教室は変わります。

だったらみんなでトイレ掃除しようぜ
え～～
私キチンとやったのに～
忘れた人だけでするのはかわいそうだろが
そうかもしれないけど…
そもそも宿題してない人っているのかな？
おれだよ
へ？

凛とした態度

人の内面は、黙っていても身体言語として外に出ているものです。内面が外見を磨く。外見を整えることで内面が磨かれる。凛とした態度は、語らずして人に伝えられるものがあります。

授業中だってのに…
コクリ
コクリ
まあ昼食後は誰でも眠くなるか…
ファ〜
ピ
リンだけに常に凛としてるな…

出る声を出す声にしよう

学習の場面では、互いに相手に伝わる声でしっかりと声を出すことが必要です。自然に「出る声」ではなく、相手に伝えようと意識して出す「出す声」です。相手に伝えたいと思う気持ちが大切です。

トイレ掃除 面倒くせえな～
みんなでする ことになったんだし 文句言わないでよ
トイレ
なあ トイレ掃除 やったふりして 帰らねえか？
いや それはさすがに ダメだよね…
ボソリ
よし 反対意見 ないし 帰ろうぜ～
あれ!?

心の羅針盤

「心の羅針盤」とは、心の中にある道徳的価値基準や行動基準です。心に羅針盤があれば、今の集団を離れた後でもリバウンドしない、そして行動にブレがない芯の太い人に育っていくのです。

トイレ
私も仕事しなきゃいけないし帰ろう…
トイレ
…
トイレ
おっ
きれいになっている
みんな頑張ったんだな
佐藤
ハァハァ
遅くなっちゃった…

このお店閉まってるのかな?
あっ今開けます!
ガラッ
いらっしゃいませ~
ありがとうございましたー
今日も疲れたな~
夕食お味噌汁しか残らなかったな…
ズズ…
おいし~
やっぱり日本人にはお味噌汁だよね
甘さが効いた

いっぱい
飲んだな〜〜

第9話　公園でスケッチ

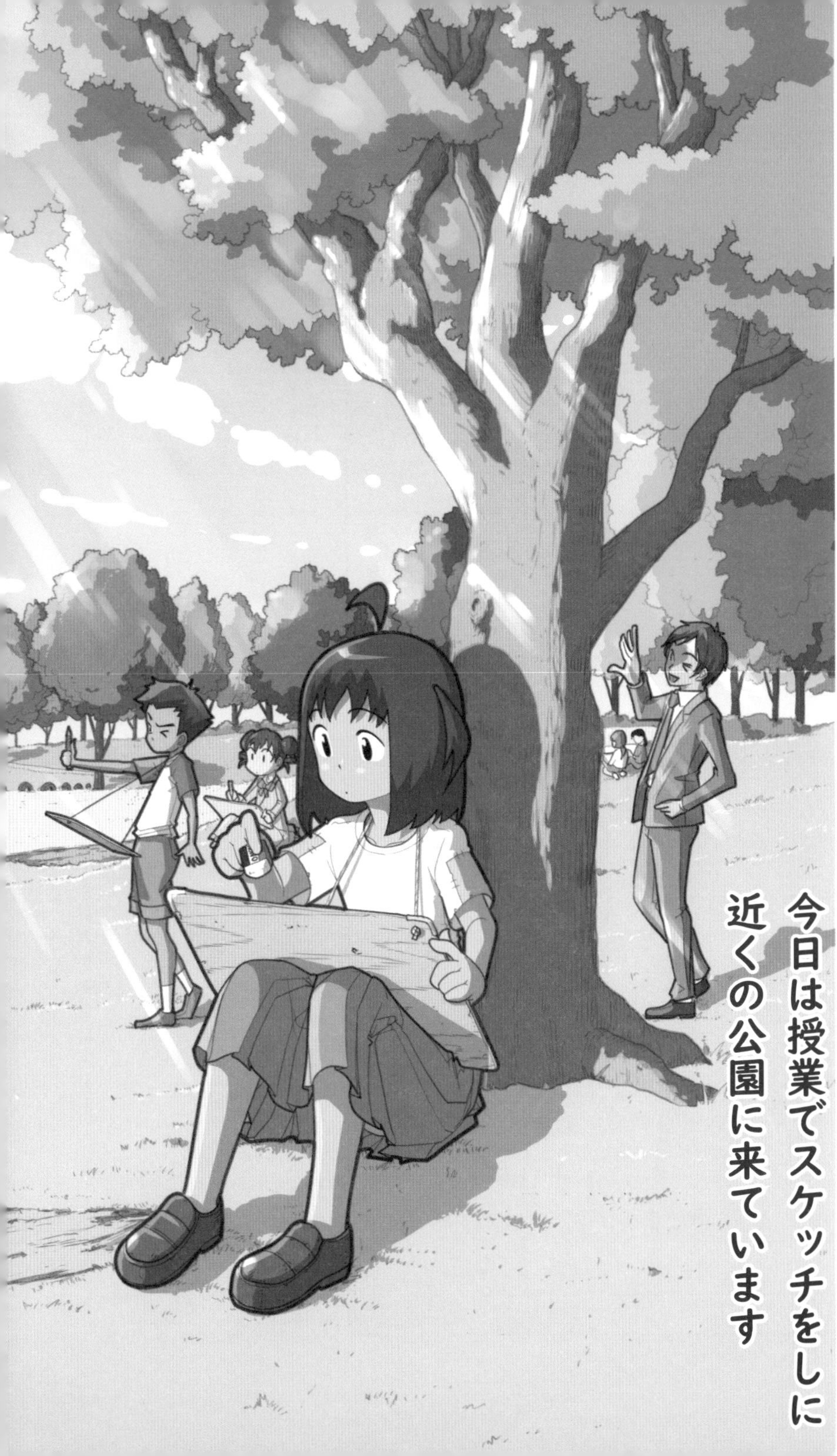
今日は授業でスケッチをしに
近くの公園に来ています

観察力を磨こう

言葉や行動、特に非言語の部分、表情や仕草などまでも細やかに観察しましょう。観察力を伸ばすポイントは、その子の「らしさ」を意識することと、その子の成長を見逃さないことです。

さっきから消しゴムがけしてるな…
…
ハァ～
絵を描くのが苦手なのか？
え？
絵を見てないのにどうして分かったんですか！
リンを見てれば分かるさ…

素直なAのバケツになろう

Aのバケツには水が溜まっていきます。素直なバケツです。Bは穴が開いていて水がもれています。Cは逆さまなので水が残りません。素直に物事を受け止められる子どもは、どんどん成長します。

絵が下手なので正直苦痛で…
大丈夫 絵は誰でも描けばその分うまくなるから
私でもですか？
もちろんさ！だから苦手意識をもたず頑張ろう！
はい 頑張ります！
美術の先生をめざして！
いや…何もそこまでは…

やっぱり上手に描けないな…
ケシケシ
リン 上手に描かなくていいんだぞ！
え!?
上手な絵とよい絵は違うものなんだから
消しゴム使わないで自分の好きなように描くといいぞ！
ハイ やってみます
消しゴムを使わなかったらこうなったんですけど
黒!!

個性の爆発

一人ひとりの内面のよさを輝かせましょう。「その人らしさ」が出るようなきっかけづくりはたくさんあります。それを引き出すのは「周りの人のはたらきかけ」です。

古い表皮よ、さらば

人が成長していくためには、痛みが伴うものです。「古い表皮は破かれなくてはならない。その痛みなしには誰も成長できない」（『小さな庭』教育出版センター・葉祥明）という言葉の通りです。

まあ黒いけど
なかなか味わいが
あってよい絵だぞ
え？
本当ですか！
ああ
エヘヘ
それじゃもう
一回描いて
みようか
え？

てこの原理を使わない

「てこの原理」は、「小さな力で大きなものを動かすこと」です。「てこの原理を使わない」とは、「楽をするのではなく努力を惜しまないことの大切さ」を意味しています。

色を塗って完成した人から帰っていいからな
リン 何やってるんだ?
絵の具をもってないので葉っぱから色を作っています
ガッ カッ
色塗りより大変そうだな…
エヘヘ
もう少しでできます!

一人が美しい

自分の考えをもち、一人でも芯をもって行動できる。このような姿は人の目に美しく印象づけられます。「一人が美しい」は、集団を育てるための重要な価値語です。

急いで帰って
お店開けないと
ハァ
ハァ
ツ
ポタッ

精を込める

精一杯に物事に向かう姿ほど、美しいものはありません。精一杯頑張っている子どもを見ると、感動します。今、いちばんよい言葉で励ましてあげたい。そのような想いに駆られます。

第10話　リン、学級委員長になる

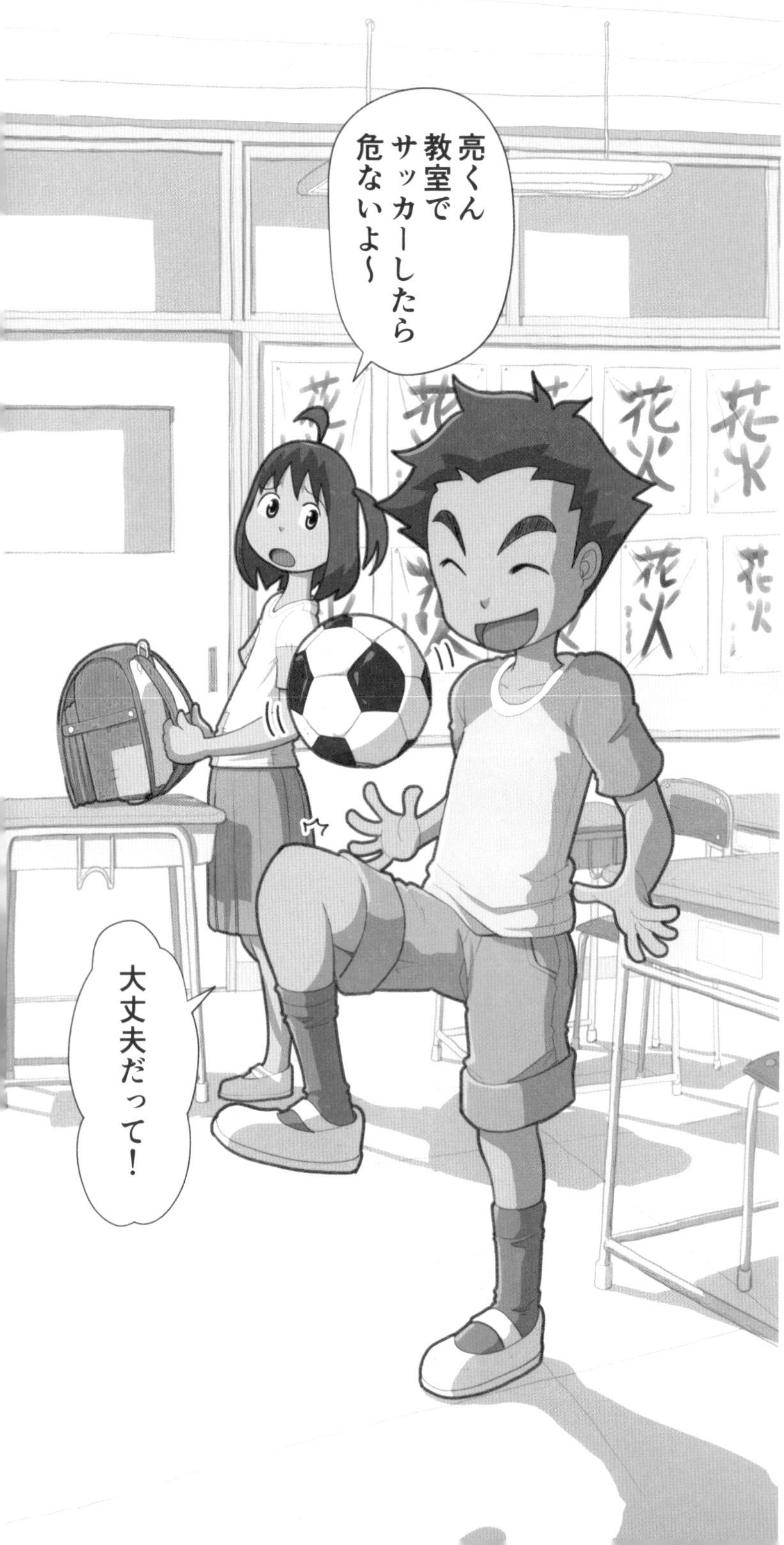
亮くん教室でサッカーしたら危ないよ〜
大丈夫だって！

正しい叱られ方

「正しい叱られ方」は、「①受容　②反省　③謝罪　④改善　⑤感謝」です。最後には、自分の成長のために叱ってもらったことに感謝ができるまで意識を高めていきます。

一体誰だガラスを割ったのは？
…
…
怒らないから名乗り出ろ！
怒られないうちに謝ったら？
もう怒ってんじゃんか…

行動の敬語

相手を大切に思う気持ちは、言葉だけでなく行動にも表れます。行動には、「物を大切にする気持ち」や「相手を大切に思う気持ち」が込められているからです。

さっきは窓ガラスを割ってすみませんでした
本当に反省しているのか!?
はい!
ならなんでまたリフティングをしてるんだ?
もう失敗しません!

誰か学級委員長になってくれる人はいないか？
クラス全体を引き上げてくれる人がいいんだが
ならリーダーシップのある俺しかいねえじゃん
ガバッ
え！お前がか!?
ザワ
ザワ
大丈夫だって
みんなを俺のレベルまで引き上げてやるよ！
引き下げるの間違いだろ？

2・6・2の上の2になろう

一般的に、全体の6割が標準的、2割が標準以上の力、残りの2割が自分の力を発揮できていないという割合になるそうです。上の2割をめざすことで、全体を引き上げていきましょう。

流れてきた桃をつかむ

おばあさんが桃を拾ったことがきっかけで、桃太郎は鬼退治に行くことになりました。「成長のチャンス」は日々あります。それを感じて行動できるかできないかで、成長は変わってきます。

ほかに誰か立候補はいないか？
毎日忙しいけれど成長のチャンスかもしれない…
はい
おリンか！
よしリンに決まりだな
ハア
え！俺は!?
パチ
パチ
パチ
パチ

自分の立ち位置を知る

それぞれの役割を理解し、自分の立場にふさわしい行動を取りましょう。他者からの視点を理解すると、子どもたちは自分についてより客観的に振り返ることができるようになっていきます。

割れたままで危ないな…
けどお店あるから早く帰らなきゃ…
とはいえ私学級委員長なのよね…

非言語に現れる美しさ

言語ばかりでなく、「非言語」に表れる美しさを価値付けることで「そうか人はそう感じるんだ」「人に与える印象をもっと大事にしていきたいな」という気持ちになれます。

学び合いは寄り添い合うこと

友達の成長を喜び、次の目標を一緒に考えていくような関係が、お互いを大きく成長させていきます。共に学ぶ仲間を大切にして、人と関わり合いながら、自分も成長していきましょう。

ありがとう
別に
そもそもこれ
やったの俺だし
はやく
やっちまおうぜ
うん

亮くん
手伝ってくれてありがとね
嬉しかったよ

第11話　教室は家族です

かけそば 380円
カレーライス 690円
野菜炒め定食 700円
コーヒー 320円
おっちゃんはなんでミュージシャンになろうと思ったんですか?
単純に高校時代女の子にモテたくて始めたんだよ
※常連客
通称「おっちゃん」

理解し合うスタートは「きくこよね」

質問をするには、考える力が必要です。相手をより深く知るための質問をしましょう。「**き**ーきっかけ　**く**ー苦労　**こ**ーコツ　**よ**ー喜び　**ね**ー願い」相手の考え方や内面を引き出すのがよい質問です。

とは言え現実はうまくいってないがな
けど最近歌のコツが分かってきたんだ!
コツってなんですか?
伝えたい気持ちを歌に乗せるのさ
それで人が感動してくれた時は最高の喜びさ!
それじゃ今の願いはテレビ出演ですか?
それより食事タダにしてくれないか?
今さらだけど実は無一文なんだ

たまねぎ
コピー用紙
何で私がこんな荷物を運ばなくっちゃいけないのよ
フワリ
え?
一個持ってやるよ

心に美しい畑を育てる

あれこれ注意をしたり、注意喚起の紙を貼ったりするのも一つの手段かもしれません。しかし、「範を示す」美しい行動から、あるいは事実から、人は心を動かされるのではないでしょうか。

人のマイナスを言うより2倍プラスする

人を責めるより、自分がその2倍のよい行動を取りましょう。失敗を責めるより、一緒にその失敗に寄り添える人でいたいと思います。豊かな心があれば、幸せで満たされた社会になります。

あっ!?
ドン
給食こぼれちゃったじゃない！亮くんのせいだよ！
だってよ…
責めても仕方ないよ
ガラッ
私、他のクラスから分けてもらってくる
お前も文句ばっか言ってないでミエを見習えよな
亮君だけには言われたくないんだけど

沈黙の美しさ

目に見える部分だけではなく静かな中にも白熱がある、そのような時間を大切にしましょう。静と動の静の側面も大切にすることを子どもたちに伝えることがポイントです。

今度の遠足でみんなで何をして遊ぶか決めたいと思います
何か意見はありませんか?
シーーン
先生何も意見がないんですけど…
すこし待ってみよう…
みんな考えてるみたいだしな…

みんなで掃除をするのがいいと思います
却下
それは遊びじゃないわよ
ハイ
みんなで昼寝しようぜ〜
私も亮君の意見に賛成です
よし
俺ので決定だな
なっ!?
それこそ遊びじゃないのになぜ…

人と意見を区別する

話し合い活動を行っていると、自分の考えではなく、子ども同士の人間関係が子どもたちの判断の基準になってしまっていることがあります。自分の考えを明確にし、その根拠を大切にさせます。

思考の作戦基地を作れ！

ノートに自分の考えや、出てきた意見を書き、視覚的にとらえることで、言いたいことがはっきりとしてきます。板書を写すだけのノートではなく、思考の流れを書く取り組みと工夫が必要です。

お前の負け〜〜
ザマ〜見ろ〜〜〜
勝手に決めないでよ!!
いてー
物投げんなよ!!
悪いのは亮君でしょ!!
いいぞ
やれやれ
負けるな
4-3
コラやめろ！
学級会は中止だ
みんな頭を
冷やしてこい！
みんなに迷惑かけちゃったな…
なんであんなことになっちゃったんだろう？
うまく考えをまとめて話すのって難しいな…

教室は家族です

一日の大半を過ごす仲間とは、家族のようなあたたかい関係を築いていきましょう。家族のような、安心できる教室の中でこそ、子どもたちは自分らしく生活することができます。

なんだかみんなに会うの気まずいな
ガラッ
おはよう
おっす！リン
おはよーリン
リンちゃんおはよ～
あ…
4-3
おはよう

第12話　遠足に行く

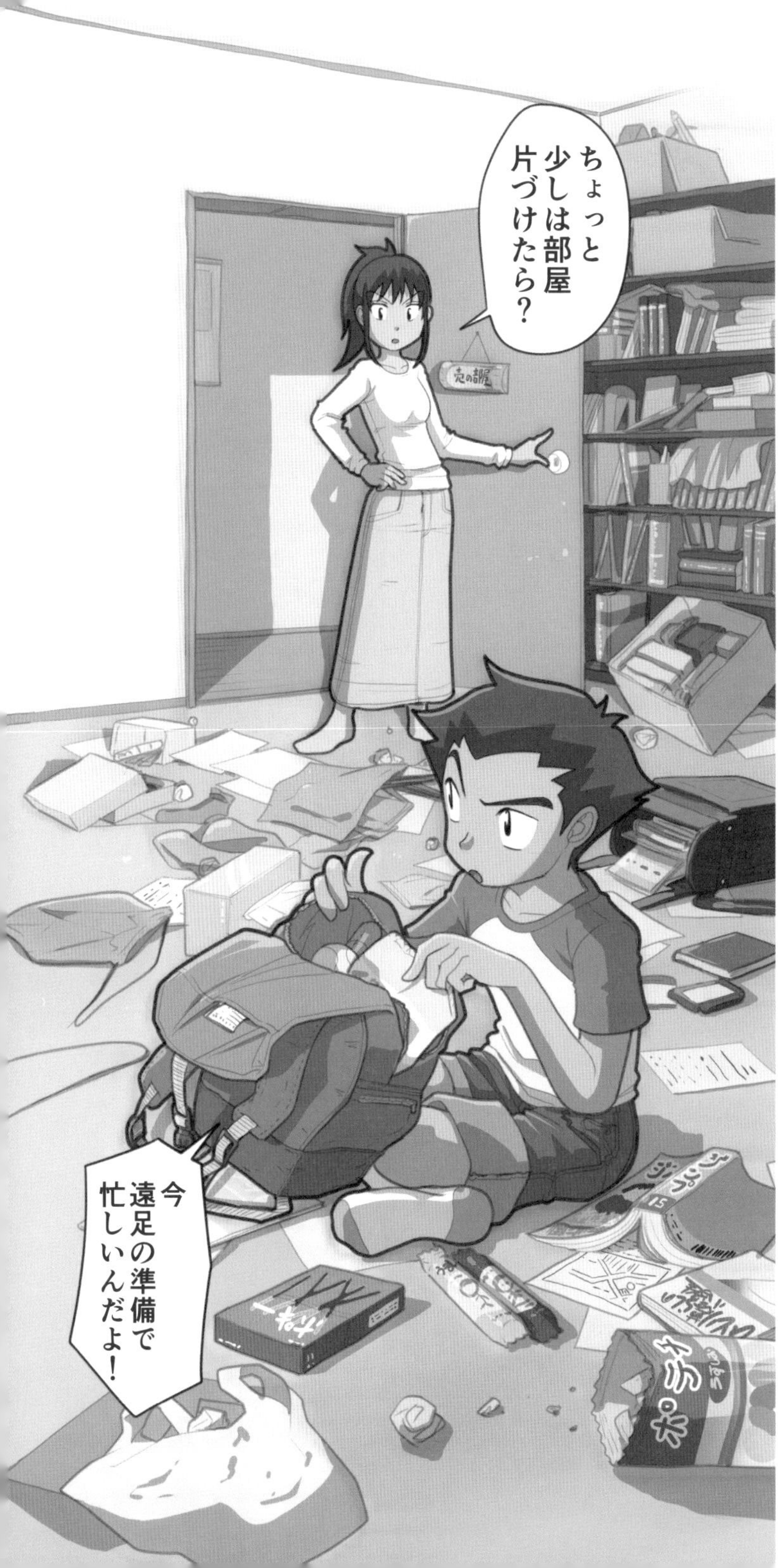
ちょっと少しは部屋片づけたら?
今遠足の準備で忙しいんだよ!

おはようございます！
ガラッ
遅刻だぞ
遠足当日に何考えてるんだ！
みんなでお前を待っていたんだぞ
と、いうことで予定より遅れたから自由時間は半分な
なんでだよ！
お前が遅刻したからだろ

1秒を0・5秒で動く

2倍速で動こうという意味です。いつまでも人を待たせたり、時間を意識できなかったりする行動がときどき見られます。時間に遅れることは、人の時間を奪っていることなのだと理解しましょう。

自由時間半分になったの亮くんのせいだよ！
半分あれば十分だろ！
なんだアイツ
もう
自由時間何かしたかったの？
うん…ちょっとね
アッチ行って遊ぼうぜ〜
みんなに謝るつもりだったのに〜
あ〜〜っ
何やってんだよ俺は〜〜

心の弦を緩ませる

けんかになったときに、片方だけが悪いということは少ないように思います。相手に負けまいと必死で頑張っていた心を解きほぐして、素直に謝ることができる人になりたいものです。

裏を美しく

人の前では、精一杯頑張り、人がいなくなるとフーッと力を抜く、そんなところが誰にでもあると思います。誰が見ていようと見ていまいと、美しい行動をする人間でありたいと思います。

あれ
リンと亮が
見当たらないな…
リンの奴
あそこで
何してんだ？

神は細部に宿る

細かさや丁寧さを大切にしましょう。細部に気をつけていくことは、大きなことを成し遂げる第一歩なのかもしれません。社会生活の中でも極微の価値を大切にしていきたいものです。

手すりの掃除は
これでいっか
あいつこんなとこまで来て掃除なんてしてバカじゃねえの…

あれ？
なんでみんなで掃除をしているの？
亮くんがみんなで掃除をしようって言ったのよ
亮くんが…

価値の継承

価値ある行動を伝えていきましょう。そうしたことの一つ一つが文化をつくっていくのだと思います。学校、家庭や地域、社会の中でも、価値あるものをつないでいってほしいと思います。

家までこの石けって帰るんだ
危ないよ！
ガッ
え？
家まではもう少しだけど…
…

エンドロールを大切に

エンドロールは、映画の最後に出る字幕のことです。役者さんだけでなく関わったスタッフ、協力した団体、企業などの名前が流れます。どんな物事も最後の最後までを大切にしていきたいものです。

場の拡大

言葉や人間関係を大切にした指導を積み重ねていくと、次第に身につけた「価値」を自ら広げていくようになります。それらは、社会生活の中でも、ぶれることない芯の太い文化をつくっていきます。

関口
亮 夕飯よ
亮？
ガチャッ
疲れて眠っちゃったのね
あら？

ん〜
楽しい夢でも見てるのかしら?
フフフ
リン

亮くん今日もカッコ良かったな～

第13話 マラソン大会

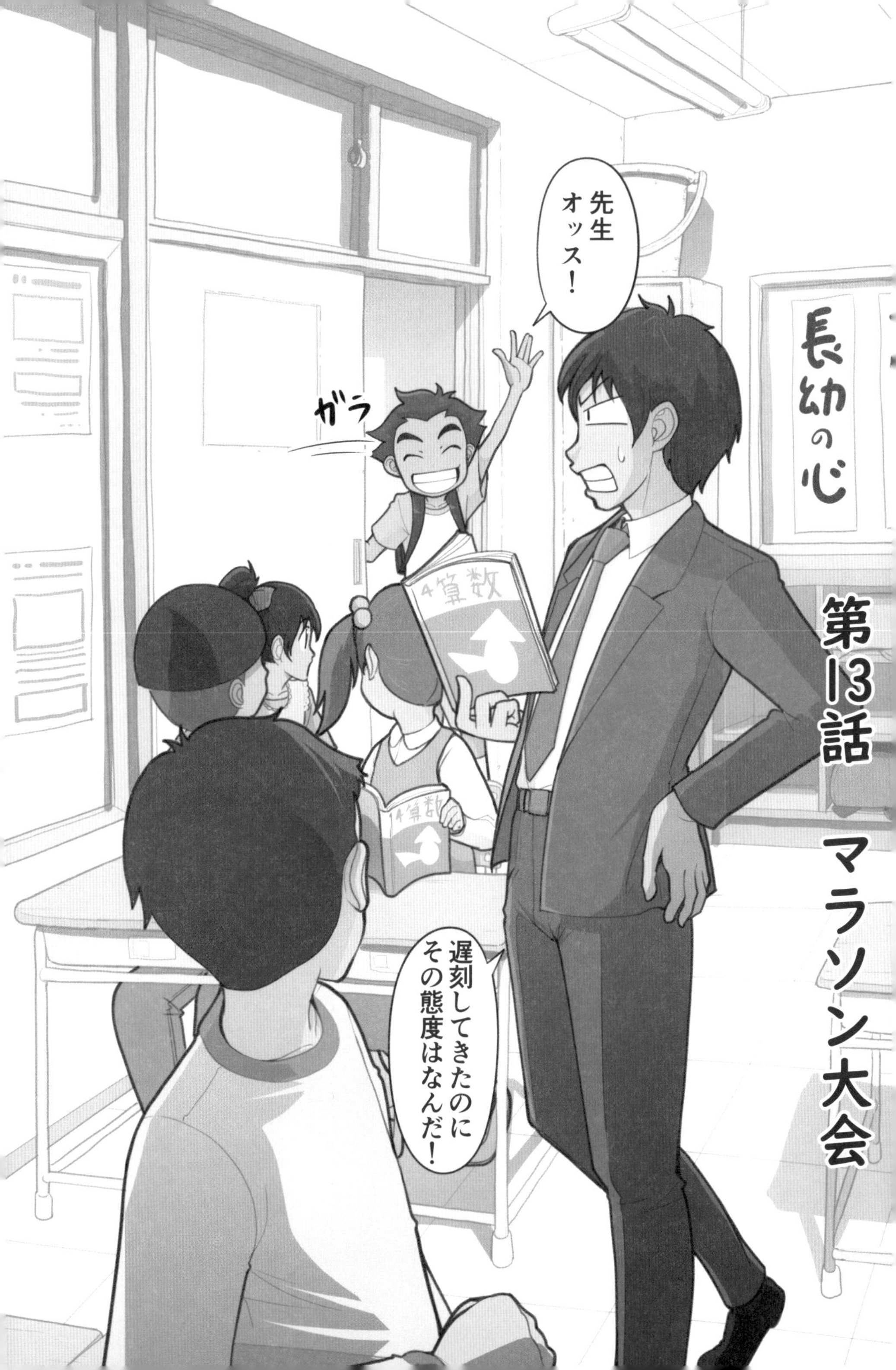
長幼の心
先生オッス！
ガラ
4算数
遅刻してきたのにその態度はなんだ！

人としての100点を目指す

目先の結果ではなく、人として大切にすべきことを積み上げていきたいものです。友達を大切にしたり、すべきことをきちんとしたりすることなど。人のよさは一つの見方だけで分かりません。

そんな点じゃロクな大人になれないぞ！
人はテストの点が全てなんですか？
え!?
そりゃテストの点が全てではないけど…
だったら俺はテストの点数なんて気にしません
俺は人として100点を目指してるので！
なら遅刻するな！

やっぱ男は顔よね
いや頭脳よ！
それよりスポーツができる人が一番よ！
え～～っ
リンはどう思う？
ん
お金でしょ
お金!?

白熱せよ

人と論を区別しながら話し合いを重ねていくと、相手の考えを尊重できるようになります。真剣な話し合いを行うことで、相手の考えを認められるようになり、一人ひとりの成長につながっていきます。

超一流になろう

一流ではなく「超一流になろう」。この言葉にはプライドを感じます。当たり前以上の道を歩むのが超一流です。そこには他律・依存ではなく、自律・自立の心を感じます。

来週はマラソン大会があるからみんな頑張るんだぞ
マラソン大会
勉強はダメでもマラソンなら練習しなくたって俺が一番だろうな
キーン
コーン
カーン
コーン
けど練習して2位に圧倒的差をつけて勝ってやる
ハァ ハァ

金太郎のあめ力

どこを切っても同じ絵柄が出てくる金太郎あめと、いつでもどこでも同じ力を発揮することとを結びつけてこの価値語は誕生しました。かげひなたなく、誠実に、信念をもって行動したいものです。

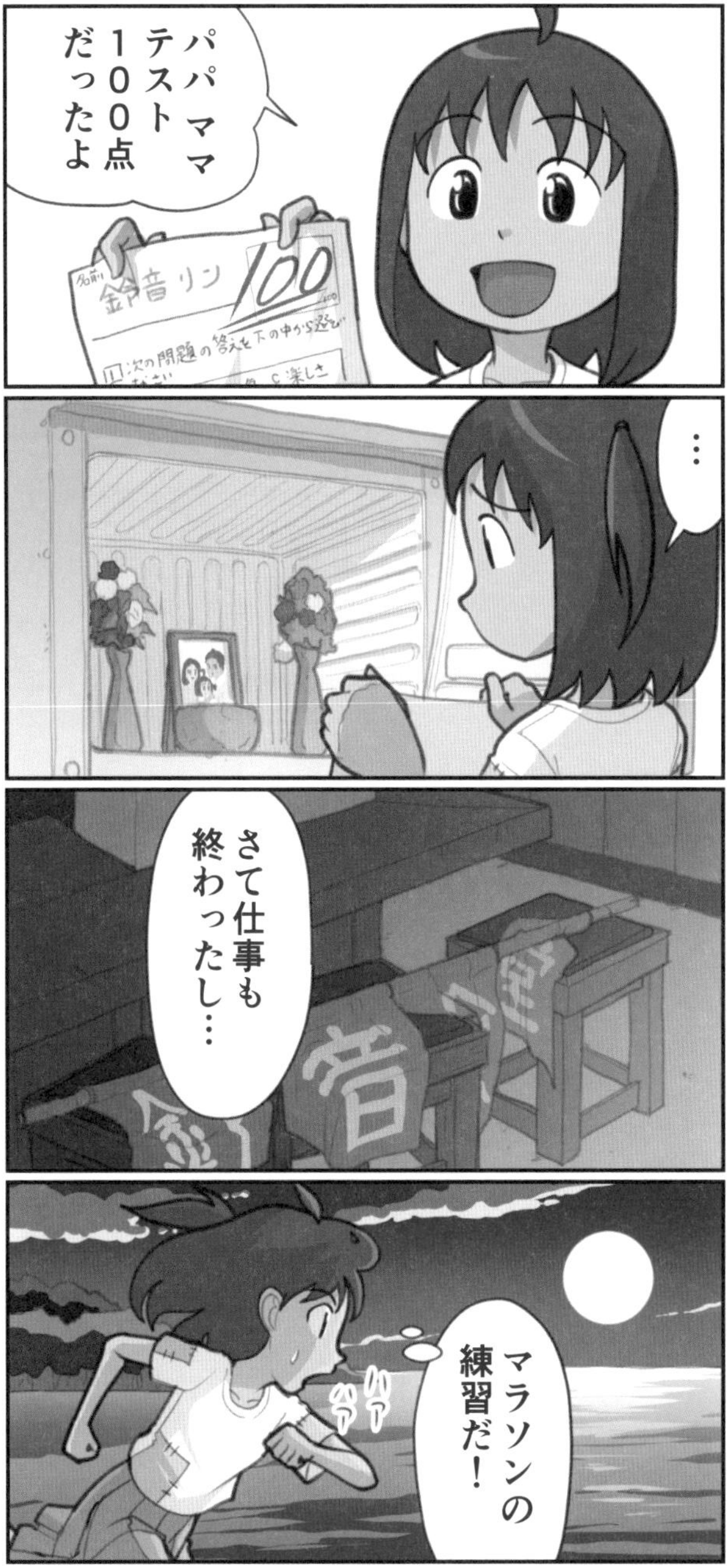
パパママ テスト 100点 だったよ
鈴音リン
100
…
さて仕事も終わったし…
マラソンの練習だ!
ハァ ハァ

全員主役の人生劇場

誰もがその人生の主役です。脇役なんていないのです。「全員主役の人生劇場」の荒波を超えていくためには、「気持ちを分かってくれる」「一緒に感情をぶつけあえる」存在が大切です。

今日のマラソン1位になって先生を見返してやるぞ！
4−3 関口
リン気合い入ってるわね
でもリンには絶対負けないんだから
よし
4−3 金見
頑張って…
これ以上靴に負担をかけないようにしないと…

一度きりの瞬間

日常生活は、一度きりの瞬間の判断の連続で動いていると言えます。生活の中の「即興性」を試されるたくさんの場面で、一度きりの瞬間を最大限生かして成長していきたいものです。

よし このままいけば 1位だぜ
ハァ ハァ
4-3 関口
4-1 赤井
折り返し
ハァ ハァ
完全に壊れちゃった
どうしよう…
貸せよ 応急処置してやるから
ハァ ハァ
え？

忍者思いやり力

「忍者思いやり力」とは、忍者のようにさりげない行動の思いやりのことです。「礼儀とは心の表れ」と言われます。礼儀をさりげなく伝えることは、日本人の美徳の一つだと言えます。

結局42位か…
42
4-3 関口
さっきはごめんね
クシャ
私のせいで遅れちゃったでしょ?
別に関係ねえよ
マラソンなんてやる気なかったし
え…
4-3 関口

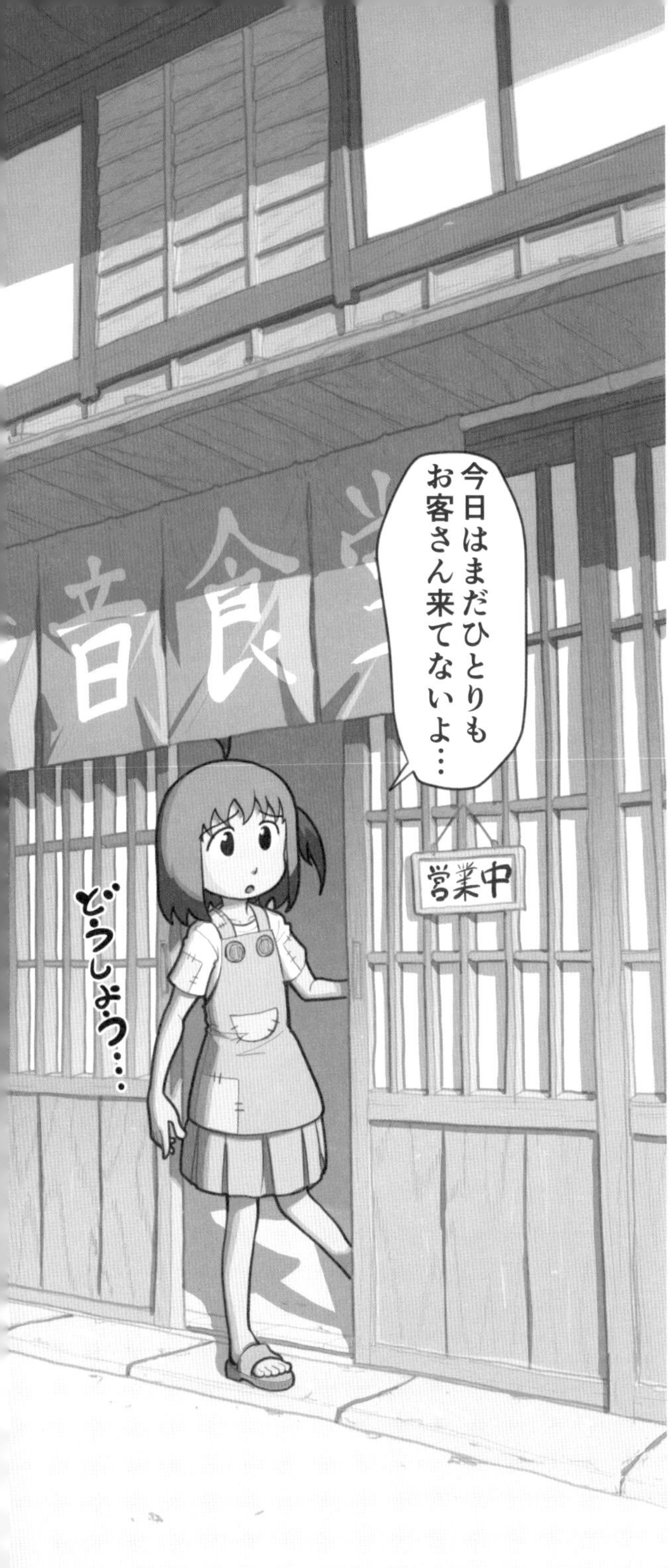
今日はまだひとりもお客さん来てないよ…
営業中
どうしよう…

第14話　やり続けるという才能

美点凝視

美しい行動をしっかりと心で見ていきましょう。美しい行動を心で見ることが、細部に気をつける意識を高めることにつながります。他の人が気づかないような極微に心を向けたいものです。

老舗っぽいし味に期待できそうだな
よし！この店にするか！
ガラ
いらっしゃいませ
え　子ども!?
ボロ
ボロ
それに店内はボロボロだし…
失敗したな
よく見ると丁寧に掃除がされてるな…

アクセルとブレーキを使い分ける

人生はアクセル全開ばかりでは進めません。そんなときにこそ、「ブレーキ・ブレーキ」と心の中に呼びかける声があれば、大きく道を外すことはないように思います。

おさとう
お客さんに満足してもらうには普通の味じゃダメだよね…
頑張ってここでしか味わえない味にしないと
フザケンナあんな甘い焼きそば食えるか!
リンちゃん今のお客どうしたの?
私頑張りすぎちゃったみたいで…

アドリブほいほい

「ほめ言葉のシャワー」を通してつく力の一つに「即興力」があります。社会ではアドリブが要求されることばかりです。マニュアルにとらわれると、創造性の必要な仕事はできません。

私才能ないのかな
そんなことないよ僕はリンちゃんの料理大好きだよ
えっ!?
本当に!?どの料理が好きなんですか?
いろいろあるけど…
コーヒーが最高だね!
それ、料理じゃありませんけど…

大きな幸せのバケツ

「自分さえよければいい」という考えをバケツにたとえると「空っぽの小さなバケツ」かもしれません。人が困っているときにこそ心を寄せ合える「大きな幸せのバケツ」を持っていたいものです。

バイキン
つーけた
バリア
あれ？
リンの悩みなら
お金の問題かも
しれないわね
だったら俺たちには
どうしようもないな
先生
リンの
ことで相談
なんだけど

職員室
なるほど自分に料理の才能がないと悩んでるのか
はい
売り上げは下がる一方ですし…
商売は難しいからな…
なに大丈夫さ
リンはすごい勢いで成長してるからな！
えっ分かりましたか!?
この1か月で1cm伸びたんですよ！
その成長のことじゃなくてな…

生長ではなく成長に

内面の成長を大切にする価値語です。「生長」は自然に大きくなる、「成長」は内面が努力して大きくなるという意味です。内面の成長は、心が伴っていてこそ本物だと言えるのです

敬語は自分の世界を広げるパスポート

敬語が使える人は、ここからは公であるという境界線が理解できているので、その場にふさわしい言葉を使うことができます。敬語を正しく使うことで、自分の世界を広げていきたいものです。

私本当に成長できているんでしょうか?
もちろんさ
その証拠にリンほどキチンと敬語を話せる子はいないぞ!
接客を頑張ってきた証さ
だけど売り上げは落ちてて…
大丈夫!
敬語は将来必ず役に立つから
問題は将来よりも今月なんですが

限りなく透明な心

純粋な心で他人の悲しみに寄り添う姿には、人としての温かさを感じます。誰かが悲しんでいたら、自分の身に置き換えて考えてみようとする中で生まれたのが、この価値語です。

何暗い顔してんのよ辛気臭いわね！
料理の才能あろうがなかろうが働かなきゃ生活できないんでしょ
余計なこと考えず働けばいいのよ
え？
俺みたく頭使わず生きた方がいいぜ
…
亮君はもう少し頭を使った方がよいと思うけど
なんだよそれ～
アハハハハ

若竹のように伸びよう

人は学び合いながら成長していきます。高い空に向かってまっすぐに成長していく若竹のように学び合いながら一人ひとりが自分らしさを発揮していく中で、集団もまたまっすぐに伸びていきます。

みんなの将来の目標は何かな?
ハイ
サッカー選手
ハイ
私は外国で暮らすこと!
そのため英語を勉強してます!
私は先生になりたいです
勉強は独学だけど…
独学で大丈夫さ
俺だって今独学で税理士めざしてるんだから!
エッ!?

海産
音食堂
営業中
あっ!
ガラッ
いらっしゃいませ!

やり続けるという才能

新しいことを始めるとき、頑張ろうと力が湧いてきます。しかし、やり続けることは難しいことです。どんな小さなことでも、心に決めてやり続ける。そういう姿勢を大切にしたいと思います。

お好きな席へどうぞ

またね!

索引1

価値語索引

それぞれの価値語の詳しい解説は、「価値語100ハンドブック」（中村堂）をご覧ください。この索引では本書の掲載順に価値語を並べています。下の丸番号と数字が、それぞれの価値語番号と掲載ページ数を示しています。

価値語

価値語

本書ページ数	価値語	価値語番号	ハンドブックページ数
70	子どもとしての責任	15	50
72	揺れながらも安定	98	222
73	全力疾走の日々を送れ	38	98
74	一人の百歩よりみんなの一歩	70	164
75	一人も見捨てない	71	166
76	凛とした態度	25	70
77	出る声を出す声にしよう	92	210
78	心の羅針盤	14	48
82	観察力を磨こう	84	194
83	素直なAのバケツになろう	16	52
84	個性の爆発	57	138
85	古い表皮よ、さらば	48	118
86	てこの原理を使わない	42	106

本書ページ数	価値語	価値語番号	ハンドブックページ数
87	一人が美しい	69	162
88	精を込める	36	94
90	正しい叱られ方	18	56
91	行動の敬語	86	198
92	2・6・2の上の2になろう	65	154
93	流れてきた桃をつかむ	43	108
94	自分の立ち位置を知る	35	92
95	非言語に表れる美しさ	44	110
96	学び合いは寄り添い合うこと	73	170
100	理解し合うスタートは「きくこよね」	100	226
101	心に美しい畑を育てる	56	136
102	人のマイナスを言うより2倍プラスする	21	62
103	沈黙の美しさ	64	152

価値語

本書ページ数	価値語	価値語番号	ハンドブックページ数
104	人と意見を区別する	94	214
105	思考の作戦基地を作れ！	89	204
106	教室は家族です	9	38
108	１秒を０・５秒で動く	52	128
109	心の弦を緩ませる	13	46
110	裏を美しく	31	84
111	神は細部に宿る	33	88
112	価値の継承	83	192
113	エンドロールを大切に	5	30
114	場の拡大	67	158
118	人としての１００点を目指す	46	114
119	白熱せよ	66	156
120	超一流になろう	63	150

価値語

本書ページ数	価値語	価値語番号	ハンドブックページ数
121	金太郎のあめ力	10	40
122	全員主役の人生劇場	59	142
123	一度きりの瞬間	28	78
124	忍者思いやり力	93	212
126	美点凝視	45	112
127	アクセルとブレーキを使い分ける	76	178
128	アドリブほいほい	51	126
129	大きな幸せのバケツ	81	188
130	生長ではなく成長に	58	140
131	敬語は自分の世界を広げるパスポート	85	196
132	限りなく透明な心	7	34
133	若竹のように伸びよう	50	122
134	やり続けるという才能	49	120

50音順索引

こちらの索引は、本書掲載の価値語を50音順に並べたものです。下の丸番号と数字は、「価値語100ハンドブック」（中村堂）の価値語番号と掲載ページ数を示しています。

●著者紹介

松下幸市朗（まつした・こういちろう）

1977年北海道生まれ。京都芸術大学マンガ学科専任講師。アシスタントとしてマンガ業界に入り、個人でKindleより出版した「ひとり暮らしの小学生」が宝島社より書籍化しシリーズ累計28万部のヒット。
制作活動と並行し2014年より専門学校での非常勤講師としてマンガ教育を開始。その後、現職。電子書籍の研究・デジタルの特性を活かした新しい時代に対応するカラーマンガ表現に力を入れている。

※2020年7月1日現在

本書は、「今の教室を創る 菊池道場機関誌『白熱する教室』」第８号（2017年春号）から第21号（2020年夏号）に掲載された内容を、コミックス用に加筆・修正した上で再構成し、１冊にまとめたものです。

ひとり暮らしの小学生／価値語篇

2020年 8 月 1 日　第 1 刷発行

著　／松下幸市朗
価値語原案／菊池省三　本間正人　菊池道場
発行者／中村宏隆
発行所／株式会社　中村堂
〒104-0043　東京都中央区湊3-11-7 湊92ビル 4F
Tel.03-5244-9939　Fax.03-5244-9938
ホームページ　http://www.nakadoh.com

印刷・製本／新日本印刷株式会社

ISBN978-4-907571-67-2